Dieses Buch gehört

....

....

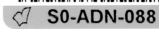

*Für Mark, James,
Joseph und Jessica.*

J. H.

*Für Poppy, Lewis
und meine wunder-
bare Gattin Tiziana.*

J. B-B.

Text copyright © Julia Hubery 2003
Illustrationen copyright © John Bendall-Brunello 2003
Veröffentlicht nach Vereinbarung mit Gullane Children's Books

Die deutsche Ausgabe erscheint bei
Parragon Books Ltd
Queen Street House
4 Queen Street
Bath BA1 1HE, UK

Realisation der deutschen Ausgabe: trans texas publishing, Köln
Übersetzung und Satz: Ronit Jariv, Köln
Lektorat: Ulrike Reinen, Köln

ISBN 978-1-4454-5540-2
Printed in China

Das frechste Ferkel

Julia Hubery

John Bendall-Brunello

PaRragon

Bath · New York · Singapore · Hong Kong · Cologne · Delhi
Melbourne · Amsterdam · Johannesburg · Auckland · Shenzhen

Es war ein heißer Tag gewesen. Auf dem Bauernhof zählte Mama Schwein vor dem Schlafengehen ihre Ferkel. „Eins, zwei, drei ... hiergeblieben! ... vier, fünf, sechs ... jetzt zappel doch nicht so! ... sieben, acht ... wo ist denn das neunte? Hat jemand unser frechstes Ferkel gesehen?"

Acht Ferkel schüttelten die Köpfe. Mama Schwein seufzte. „Dann werde ich es wohl suchen müssen – schon wieder."

Mama Schwein bat die gesprenkelte Henne: „Gesprenkelte Henne, könntest du bitte auf meine Ferkel aufpassen, bis ich den Ausreißer gefunden habe? Das ist wirklich das letzte Mal. Versprochen!" Dann trabte sie eilig davon.

Mama Schwein lief zur braunen Kuh, die am
Zaun stand und Gras kaute. „Guten Abend, braune
Kuh", sagte sie. „Hast du vielleicht mein frechstes
Ferkel gesehen?"

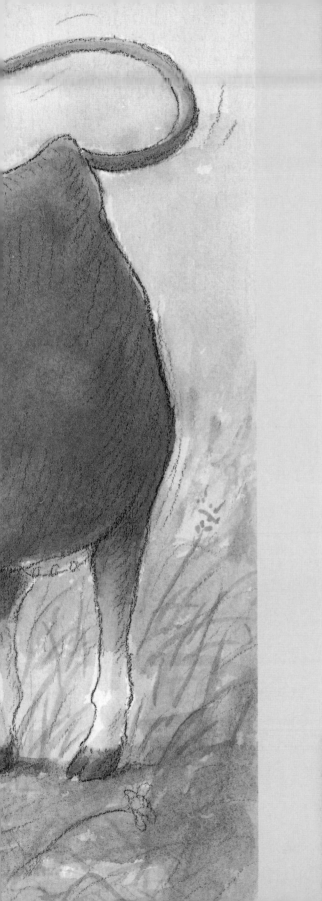

„Leider ja", meinte die braune Kuh. „Dein frechstes Ferkel wollte der Bäuerin beim Melken helfen …

... aber kurz darauf verwandelte es den Stall in ein milchiges Durcheinander und rannte davon!"

„Und wo ist es jetzt?", wollte Mama
Schwein wissen.

„Es rannte zur Weide des Herrn Major",
sagte die braune Kuh, „und ich rate dir, es so
schnell wie möglich aufzuhalten!"

„Wenn ich es finde, wird es ihm sehr leid
tun", sagte Mama Schwein und eilte weiter.

„Guten Abend, Herr Major", sagte Mama Schwein zu dem Pferd. „Haben Sie mein frechstes Ferkel gesehen?"

„Verehrteste", sagte der Major, „ich habe das frechste, das unerzogenste und das *unverschämteste* Ferkel gesehen …

... es *brach* durch
meinen Zaun,

sprang in meinen Wassertrog,

und *wälzte* sich in
meinem schönsten
Kleebeet. Überhaupt
kein Benehmen!"

„Es tut mir ja so leid, Herr Major", sagte Mama
Schwein. „Und meinem frechsten Ferkel wird es noch
viel mehr leid tun, wenn ich es finde."

„Sie werden es schon finden", meinte der Major.
„Das dumme Ding rannte zum Ententeich."

„Zum Teich!", rief Mama Schwein.
„Oh, dieses unartige Ferkel!"

„Guten Abend, weiße Enten", rief Mama Schwein vom Teichrand aus. „Ich glaube, mein frechstes Ferkel war hier. Könnt ihr mir vielleicht sagen, wo es hingelaufen ist?"

„Es ist überhaupt kein guter Abend", quakte die älteste Ente wütend. „Es ist ein sehr *heißer* Abend und ein sehr *trockener* Abend. Dein frechstes Ferkel war in der Tat hier …

… und hat unseren schönen klaren Teich in eine matschige Suppe verwandelt."

„Ich weiß nicht, wo es
danach hingelaufen ist, und es
ist mir auch schnurzpiepegal",
sagte die älteste Ente.

„Wenn ich dieses Ferkel finde, wird es ihm
sehr, sehr leid tun", murmelte Mama Schwein,
während sie den matschigen Hufspuren folgte,
die zur Wiese des grauen Ziegenbocks führten.

„Guten Abend, grauer Ziegenbock", keuchte Mama Schwein.

„Wünsche ich dir auch", sagte der graue Ziegenbock.

„Du willst mich bestimmt fragen, ob ich dein frechstes Ferkel gesehen habe."

„Und, hast du?", fragte Mama Schwein.

„Allerdings", antwortete der Ziegenbock, „und zwar *überall*, wo es nichts zu suchen hat …

... in der Hundehütte ...

... im Schafpferch ...

... im Hühnerstall ...

... sogar im Haus des Bauern ...

... und am allerschlimmsten ...

... auf *meiner* Wiese!"

„Jetzt möchte ich es möglichst lang *nicht* mehr sehen",
fügte der graue Ziegenbock hinzu.

„Wo kann es denn bloß sein?", quiekte Mama Schwein
besorgt, während sie zum Schweinestall zurücktrabte. „Ich
sollte im Heuhaufen nachsehen", dachte sie. „Da habe ich mich
früher immer versteckt, wenn ich etwas angestellt habe." Dann
seufzte sie tief. „Mein frechstes Ferkel ist zwar eine Plage, aber
es ist *meine* Plage. Hoffentlich ist ihm nichts passiert."

Das frechste Ferkel hatte sich tatsächlich schluchzend im Heuhaufen vergraben. „Wäre ich doch nur nicht so unartig gewesen", jammerte es. „Jetzt kann ich nie, nie mehr nach Hause und muss mich *für immer und ewig* hier verstecken." Plötzlich hörte es ein Trappeln und Grunzen und wühlte sich noch tiefer in den Heuhaufen hinein.

Doch Mama Schwein sah sein Ringelschwänzchen herausgucken.
„Ich wünschte, mein frechstes Ferkel wäre nicht ganz so frech", sagte
sie. „Ich wünschte, es wäre rücksichtsvoller, und ich wünschte, es würde
sich besser benehmen. Aber am meisten wünschte ich, es würde zu mir
zurückkommen."

Aus dem Heuhaufen ertönte ein leises Quieken.

„Es tut mir sehr leid, Mama", sagte ein dünnes Stimmchen.
Dann wühlte und wackelte und wuselte das frechste Ferkel sich
aus dem Heu heraus, bis seine Schnauze die Schnauze seiner
Mama berührte.

Da
gab Mama Schwein
ihm einen dicken Kuss.